ココロでさがそう!

ぼくらのタカラ

櫛田信

いのちのことば社

キャンプのしおりのように使える
この本のメッセージ・ノートを
こちらからダウンロードできます。
ぜひ活用してください。

はじめに

イエス・キリストというお方をいかに伝えるか。これは、私のような牧師だけでなく、クリスチャンの人はいつでも考えていることです。なぜなら、イエス様はそれほどすばらしい方だからです。

私は、二〇〇七年春に、奥多摩福音の家というキャンプ場で、小学生たちに四回、聖書のメッセージをしました。そして、キャンプが終わった後で、このメッセージをみなさんに分かち合いたいと思うようになりました。小学生の人や、もっといろんな人たちにも伝えたいと思いました。

私は、「本当は簡単なことなのに、難しい話にしてしまう」という困った人なので、分かりにくいところもいっぱいあると思いますが、でもせいいっぱい分かりやすい話になるよう心がけたつもりです。

キャンプに来ていた子どもたちは、ほとんどが、ふだんから聖書のお話を聞いている人たちです。ですから、聖書をよく知っている人向けのお話になっています。でも、聖書を読んだことのない人でも何か発見できることがあるのではないかと思っています。

キャンプでは、四回のメッセージをしました。そして一回から三回までのメッセージの前には、スタッフの人たちに、私が考えた小さな劇（スキット）をしていただきました。それによって、聖書のお話が心に残るようにと、キャンプのリーダーが考えてくださったのです。それで、この小さな本には、その劇を漫画にしたもの三つとメッセージ四つが含まれています。

この本を読んでくださる方が、イエス様という本当の、永遠の「タカラ」を持つことができるように、願っています。

二〇二二年二月

櫛田信

もくじ

装幀 長尾契子（Londel）
表紙ちぎり絵 斉藤泉
漫画 向日時人

1　本当のタカラって何?

みんな！
今日は宝物ナンバーワン決定大会を行いたいと思います。
準備はいいですか？
はーい!!

僕の宝物はこの賞状です！
これは僕が小学生囲碁大会で優勝した時にもらいました！
表彰状
賞状 たけし殿
あなたは小学生
囲碁大会
ほう、すごいなぁ。じゃあ次、まきこちゃん。
私の宝物はプロ野球選手のジロー選手のサインが入ったTシャツです！
Jiro
これはなかなか珍しい！じゃあ最後にみやこちゃん。
私のは、わが家に代々伝わるセミの抜け殻です。抜け殻と一緒に長い家系図がついていて、
一番古い人は源 頼朝の友達だって書いてあります。
な、なるほど。先生は抜け殻より家系図のほうが大事な気がするけど…まぁいいか。
じゃあ発表タイムはそこまでにして、今からドキドキの「攻撃タイム」です。
いえーい!!
では他の人の宝物があまりすごくないと思う理由を挙げていってください。

はーい、まきこちゃんのはジロー選手のTシャツだそうですが、ジロー選手はこの前スピード違反で捕まったって新聞に書いてありました！

そうそう、ダメだよね。

何言ってるの！

先生！　たけしくんは優勝した次の大会では一回戦で負けたそうです！

そうそう、それにたけしくんはそんなに強くないのに優勝したなんておかしい。何かズルしたんじゃないの？

失礼な！　ちゃんと実力で勝ちました！

だいたい、みやこの持ってきたセミの抜け殻も、本物かどうか怪しいと思います！

そうそう、セミの抜け殻なんて役に立たないよね。

何よ！　そんなデリケートなものを守ってきたのがすごいんでしょ！

ケンケンガクガクケン
なんだなんだ。僕のが一番だ！
何よ！私のだって！
はーい。攻撃タイム
終了でーす。
何言ってるの、私のが最高よ！
それでは今から判定です。
ズッ
ゴクリ…
今回の宝物大賞は…
ン!!
先生の奥さんの写真でーす！
バ
これで今日はおしまい！
ええええ
そんな～!!
ええええ～!!

メッセージ1　本当のタカラって？

ルカの福音書19章1〜10節

それからイエスはエリコに入り、町の中を通っておられた。するとそこに、ザアカイという名の人がいた。彼は取税人のかしらで、金持ちであった。彼はイエスがどんな方かを見ようとしたが、背が低かったので、群衆のために見ることができなかった。それで、先の方に走って行き、イエスを見ようとして、いちじく桑の木に登った。イエスがそこを通り過ぎようとしておられたからであった。イエスはその場所に来ると、上を見上げて彼に言われた。「ザアカイ、急いで降りて来なさい。わたしは今日、あなたの家に泊まることにしているから。」ザアカイは急いで降りて来て、喜んでイエスを迎えた。人々はみな、これを見て、「あの人は罪人のところに行って客となった」と文句を言った。しかし、ザアカイは立ち上がり、主に言った。「主よ、ご覧ください。私は財産の半分を貧しい人たちに施します。だれかから脅し取った物があれば、四倍にして返します。」イエスは彼に言われた。「今日、救いがこの家に来ました。この人もアブラハムの子なのですから。人の子は、失われた者を捜して救うために来たのです。」

マタイの福音書13章44節

天の御国は畑に隠された宝のようなものです。その宝を見つけた人は、それをそのまま隠しておきます。そして喜びのあまり、行って、持っている物すべてを売り払い、その畑を買います。

本当の宝物

僕は、神奈川県横浜市の教会で牧師をしている櫛田信と言います。

先ほど、本当の宝物って何なのか、という漫画を読んでもらいました。僕は、もしだれかが「これこそが本当に最高の一番の宝だ」と言って見せてくれるものがあるとすれば、それが本物なのかどうか調べるために、いくつかのチェックをしてみるだろうと思います。

その一、その宝物は、いつまでも、永遠になくならないものか。ね、大事ですね。「ダイヤモンドは永遠の輝き」なんて言ってますが、あれはウソですね。燃やせばダイヤモンドはただの炭です。

その二、その宝物は、皆にいくら分けても、減らないものか。欲しいと思う人は、だれでも持てるものか。持っている人が見せびらかしたり、持てない人がうらやましがるだけ、そんな宝はイヤですね。

その三、その宝物は、全財産を投げ打ってでも、あるいはいのちをかけても惜しくない、無限の価値があるものか。「この宝は、一億円です」なんて言われると、「へえ、すごいなあ」と思うと思いますが、でも二億円の宝だってあるでしょう？　値段がつくと、必ずその価値を上回るものがあるはずだし、いのちをかけるほどではありません。

さらにつけ加えれば、その宝物は死ぬまでなくならないものか、死んでも手放さなくてもよいものか、ということです。少なくとも、これくらいのチェックはクリアしないと、本物とは言えませんね。

みんな、分かっていると思いますが、答えを先に言ってしまうと、すべての人がいただくことができる、本物の宝とはイエス様のことです。そして、このイエス様を、間違いなくみんなが持ってほしい、そう思って聖書の話をしていきたいと思っています。

取税人のかしら

ザアカイさんのお話、この中で、聞いたことがある人は？　初めての人は？　だいたい皆さん、知っていますね。これは有名なお話です。聖書には、ザアカイさんは、エリコの町の取税人のかしらで、金持ちであった、と書いてあります。エリコというのは、大きな道路が通っている、けっこう大きな町で、そこから集まってくる税金というのは多額でした。この時代、イスラエルの国は、ローマ帝国という強い大きな国の部下になっています。植民地のような状態です。ですから、税金はローマ帝国に納めるのです。それで、どういうしくみで税金が集められていたかというと、オークションなんです。

ローマの国のお役人さんが来て、「はい、エリコの町で、税金どれくらい集められますか？」と聞きます。「はい、僕は百万円集められます」「はい、私なら一千万円集められます」「わしなら、一億円は軽く集められます」と言って、一番高い値段を言った人に「はい、あなたに税金を集める仕事を任せます、権利をあげます」ということになるのです。

その人は、自分が約束した税金を集めれば良いのですが、多く集めすぎて余ったら、いくらでも自分のお金にできたんですね。「一億円っていったけど、五億円も集めちゃった。いやあ、困ったなあ。僕の財布に四億円も入らないや」などと言って、不正にお金を貯金することもできたんですね。

　ザアカイは「取税人のかしら」です。イスラエル人からお金を集めてローマに納める取税人の中でも、リーダーなのです。ただ職業が取税人というだけでも、みんなから罪人と呼ばれて、嫌われるのが普通でしたから、取税人のかしらとなると、もうめちゃくちゃ嫌われていたはずです。ところが、やっぱり税金を集める権利があったので、「あっ、あいつ生意気そうな顔をしているな」と思ったら、「おい、お前、俺様の前を横切った、横切り税を払いなさい」なんて言ったかもしれません。だから、人々はザアカイのことをひそひそ声で「あの罪人、悪どいザアカイめ、ローマ帝国の犬め」と言ったでしょうし、ザアカイはザアカイで「ふん、貧乏人どもめ」と言ったんじゃないかと思います。ちなみにザアカイという名前は、日本語で言えば「清」という意味に近い名前だそうです。名前とやっていることは正反対ですねえ。

心の穴

　この町にイエス様がお通りになりました。するとザアカイはどうしたでしょう。3節に「彼はイエスがどんな方かを見ようとした」と書いてあります。最初にみんなに知ってほしいことは、人間はだれでも本物の宝を欲しがっているっていうことなんです。お金がいっぱいあっても、それだけではダメ。偉い仕事について、すごい強い権力があっても、それだけでは本当には満足できない。そして、どんなに平気で悪いことをしているような人であっても、それでも、心のどこかでは、正しい、きよい、少しの曇りもない「本物」を心の底から求めているということなんです。本物でなければダメなんです。

　小さい子どものケンカを見たら、よく分かるでしょう。と言っても、皆さんも同じようなことをするかもしれませんが、手にいっぱい飴玉を持っていても、「まだ欲しい」と言って友達から取り上げる子がいますね。どうしてか、というと心が満たされていない。満足しないのです。

　もしかしたら、こういうことを感じたことがあるかもしれません。ゲームをした。テレビを見た。漫画を読んだ。違うゲームをした。それから動画を見て、カードで遊んだ。だけれども何かつまらない。何か違う。それで「つまらない」とか「空しい」と思ってしまう。何か足りないんですね。大人でもそういう人がいっぱいいます。お酒を飲んで飲んで飲んで、やめられなくなって病気になって、もう周りの人が大変になっちゃうんだけれど、やっぱりやめられない。いやらしい本やビデオやインターネットやそういうものを見て、やめられない。悪いことをして捕まっても、またやってしまう。なんでそうなのか。人間は、だれでも、本物を求めているんです。このことをしたら、一〇〇パーセント満足できるかな、と思っても、八〇パーセントくらいしか満足できない。だから、またする。でもやっぱりまだ足りない。そうして止まらないんだけど、やっぱりこれで良かったとは思えないんです。

聖書は、「神はまた、人の心に永遠を与えられた」と言っています。また、アウグスティヌスという人は、「神よ、私たち人間は、あなたに向けて造られたので、あなたの中で安らぐまでは、安らぐことはできない」というようなことを言っています。人間の心の中には、穴がある。無限の大きさの穴です。だから、その穴をいっぱいにすることができるのは、ただ神様だけなんです。お金持ちは、お金に満足しません。賢い人は自分の賢さに満足しません。人間は、だれでも、本物のタカラ、神様でなければダメなのです。それはどうしてかと言うと、人間が神様にそのように造られているからです。神様にそうやって造られているからなんです。

ザアカイさんは、イエス様の噂を聞いていました。優しい方、罪人の友達になってくれる方、神の力をもって奇跡をしてくれる方……。ザアカイさんは、悪どいことを平気でする人でしたが、イエス様のことを聞いて、イエス様にあこがれ、見てみたいと思いました。これ、大事ですね。イエス様について聞くこと、何より大事です。

ジャマするもの

でも、すんなり近づけたでしょうか？　3節と4節を見ると

> 彼はイエスがどんな方かを見ようとしたが、背が低かったので、群衆のために見ることができなかった。それで、先の方に走って行き、イエスを見ようとして、いちじく桑の木に登った。イエスがそこを通り過ぎようとしておられたからであった。

と書いてあります。すぐに近づくことはできなかったのです。僕たちが気づかなくてはいけないのは、イエス様というお方のことを知ろうとすると、そこにたいてい、何かのジャ

マが入るということです。背の低いザアカイは町で評判が悪い嫌われ者ですから、ジャマをされました。人に嫌われている、これが一つの大きな障害物になりました。

でも、それだけではなかったようですね。ザアカイは、イエス様に向かって、大声で「イエス様、あなたに会いたいけどジャマされている人がここにいます！」と言って叫ぶことはできなかったのです。会いたいけど、会いたくない。見たいけど、見られたくない。質問したいけど、されたくない。正面からイエス様のところにはいけない。神の力を持つ人がいるなら見てみたい、自分の本当のこと、ココロまで知っている人がいるなら、会ってみたいけど、ちょっと怖い。だから木に登りました。こっちからは見えて、向こうからは見えにくいところに行くのです。みんなにどう思われるだろう？　やっぱり僕なんかは、イエス様と仲良くなれないよな、迷惑だよな、そんなふうに考えてしまうのです。

『星の王子さま』という本の中に「心で見なくちゃものごとはよく見えない。大切なことはね、目に見えないんだよ」という言葉があります。ココロということを考えると、二つのことが出てくると思います。「僕はみんなからはこんなふうに言われたりするけれど、本当のココロはこうなんだ、それは神様が知ってくれているんだ」とも考えますが、でももう一方で、「神様が僕の本当のココロを知っているとしたら、僕は遠いところから神様のことを勉強するしかないんじゃないか？」とも考えるでしょう。

名前を呼ばれる

でも、どうなったでしょうか。5節、6節、7節。

　イエスはその場所に来ると、上を見上げて彼に言われた。「ザアカイ、急いで降りて来なさい。わたしは今日、あなたの家に泊まることにしているから。」ザアカイは急いで降りて来て、喜んでイエスを迎えた。人々はみな、これを見て、「あの人は罪人のところに行って客となった」と文句を言った。

　こう書いてあります。なんと、初めて会ったイエス様がザアカイの名前を呼んだのです。これはもうびっくりですね。初めて会ったイエス様が、ザアカイの名前を知っている。ちょっと、今、やってみましょうか。（眠くなっている人もいるかもしれませんから、ちょっと緊張したほうがいいですね。）一人名前を呼びますので、ここに出てきてもらいましょうか！「中西翔太くん！　出てきてください」……なんちゃって。実は、そんな名前の子はここにいません。今、みんな何を考えましたか？「えっ、だれだれ？　どこ？」と思った？

きっと、ザアカイの周りの人も、「えっ、ザアカイ、どこ？」と思ったでしょうね。ザアカイ自身も、「えっ、なんで俺のこと？」と思ったでしょう。でも、イエス様はちゃんと知っている。名前を呼んでくれる。しかも「今日、あなたの家に泊まることにしているから」、あなたのことを、名前もココロも、全部知っている方が、何とあなたと親しくしたいと思っているんですね。こんなうれしいことはありません。神様は、あなたを喜んで愛してくれるんです。

ザアカイは大喜びで、イエス様を家に連れて行きました。でも、みんなは何て噂していますか？「あの人は罪人のところに行って客となった」――がっかりだよ、イエス様、すばらしいお方だって聞いたのに、結局、あの金持ちの罪人の仲間なのか、という文句ですね。人々は、ザアカイのことを、「ザアカイ、清」という名前ではなくて、「罪人」と呼んでいます。でも、イエス様は「ザアカイ、清」と呼んでくれる。人々は「あいつは罪人」でも、イエス様は「あなたはザアカイ」と呼んでくれるのです。

昔、「ビューティフル・ネーム」という歌がありました。どんな子どもにも美しい名前がある、そういう歌です。皆さんには、一人ひとり、お家の人が一生懸命考えてつけてくれた、ステキなすばらしい名前がありますね。「変な名前」と言われるかもしれないし、「あなた、こういう名前なのに全然違うわね」と言われるかもしれないし、自分でも「嫌だなあ」と思ったり、「違うなあ」と思うかもしれません。

でも、もっと大切なことに、イエス様は、あなたの名前を知っていて、すばらしいあなたの名前を知っていて、それで呼んでくださる。だれかが変だと言う、あなたが違うと思う、そんなことは関係ない。イエス様は、あなたのすばらしい名前を呼んでくれる。そして、そのすばらしい性質のとおりに生きるようにしようと、あなたと親しく、家に泊まるように親しくしようとしてくれているんですね。みんなが「罪人」と呼んだこのザアカイを、イエス様は、そのままの、そのすばらしい名前で呼びました。「ザアカイ、急いで降りて来なさい。わたしは今日、あなたの家に泊まることにしているから。」

救いがこの家に来ました

ザアカイはどうなったでしょうか。8節、9節、10節。

しかし、ザアカイは立ち上がり、主に言った。「主よ、ご覧ください。私は財産の半分を貧しい人たちに施します。だれかから脅し取った物があれば、四倍にして返します。」イエスは彼に言われた。「今日、救いがこの家に来ました。この人もアブラハムの子なのですから。人の子は、失われた者を捜して救うために来たのです。」

ザアカイは、イエス様という本物のタカラをもらいました。イエス様によって救われました。救われた結果、偽物のタカラがいらなくなりました。今までの罪も当然、捨てなきゃと思いました。それで、貧しい人にお金をあげ、脅し取った分は四倍にして返すことにしました。どれだけ財産がなくなったでしょうか。ほとんどなくなったんじゃないかなあ、と思いますね。でも、全然惜しくない、それほど今一緒にいるイエス様がすばらしすぎる、うれしすぎるのです。

面白いことに、イエス様は「今日、救いがこのザアカイに来ました」と言わないで、「救いがこの家に来ました」と言っていますね。おもしろいなあ、と思います。つまり、「あなたの家に泊まることにしてある」と言われたイエス様が、その家に来た時、「救いがこの家に来た」と言ったのです。あなたのところに行く、と言ったイエス様を、そのとおりお迎えした時に、本当にザアカイが救われた。これは、ザアカイががんばったとか、良いことをしたから救われたのではなくて、ただイエス様が来られた。そのイエス様をココロの中に入れただけで、ザアカイが救われたということを指しています。

　でも、それともう一つには、やっぱり家が、家族全体が救われたんだなあ、ということです。ザアカイの家族って、どんな家族だったんだろう？　ちょっと勝手に想像してみました。年老いたザアカイの両親も一緒に住んでいたんだろうか？「ザアカイ」という名前をつけたのに、こんなに悪どい取税人なんかになっちゃって、と悲しんでたんでしょうか？　それとも、初めは、きよい立派な人になってほしいと思ったけど、お金がいっぱい入ってくるにつれて、「こういう暮らしもいいじゃん」と思ったでしょうか？

　あるいは、ザアカイの奥さんや子どもたちはどうだったでしょう？　奥さんは「ねえねえ、あの人ザアカイの奥さんよ」と言われる。ザアカイの子どもたちも、やっぱり何か言われる。でも、悪いのかなあと思ったり、「結局、最後はお金よ」と思ってみたりしながら、やっぱりザアカイと同じように、神様が望んでおられるようなきよい生き方はできなかったんだと思うのです。

　ところが、イエス様がこの家に来て、そしてザアカイが迎え入れた時に、救いが家族全体に来た、タカラが家族全体のものになったんですね。「この人もアブラハムの子」つまり、神様の約束をもらっている子孫だということです。その子孫も神様の約束の子なのです。

神様の宝物

イエス様は、失われた人を捜して救うお方です。失われた人、迷子になった人、本当の本来の、神様がすばらしい名前や性質をくれているのに、そのとおり生きられなくなっている、すべての人を、捜して捜して、なくした宝物を捜すようにしてくれているんですね。びっくりします。実は、神様が、私たち一人ひとりを、大切な大切な宝物としてくれているんです。

イエス様がエリコに寄ったのは旅の途中です。エルサレムに行く旅の途中です。エルサレムに行ってどうするのでしょう。十字架にかかるのです。私たちが、神様のところから迷い出た私たちが受けなければいけない罪の罰を代わりに受けようとする、その旅の途中です。イエス様は、私たちを宝物として捜し、いのちを捨てても惜しくないほどの宝物として、私たち一人ひとりを愛してくれている。このイエス様を信じて、ココロの中に入っていただくとき、イエス様がいのちがけで僕をタカラのように思ってくれた。だから、僕を愛してくださったイエス様を、本当のタカラとして持つことができるのです。

まとめます。私たちは、みんな本物のタカラを持ちたいと思っています。それは、無限のお方、神であるイエス様しかありません。けれども、イエス様を求めようとしてもジャマが入ります。他の人であったり、僕の心そのものがジャマになったり。でもイエス様は、私の、神に造られた本来のすばらしい性質を知っていて、私の名前を呼んでくださいます。このイエス様に来てもらう時、私たちは救われます。そして、イエス様がいのちを捨てるほどに僕のことをタカラと思ってくださり、僕もイエス様をいのちを捨てるほどのタカラとして大切にすることができます。これこそが本当のタカラです。

この本で、このことが本当によく分かりますように！

ジョージ・ミュラーの救い

最後に、ジョージ・ミュラーという人の話をしましょう。この人は大変な札付きのワルでした。十四歳の時にお母さんが亡くなりましたが、お母さんが死んでもワルは直りませんでした。十六歳の時、盗みや詐欺のせいで捕まり、少年院に入れられました。でも、悪いことはやめられなかったんですね。ところが、二十一歳の頃、ある家庭集会に誘われました。このジョージ・ミュラーという人が、聖書を学ぶその集会に来るのを嫌がった人もいたのですが、そのお家の人は「あなたのためにいつでも場所を用意していますよ」と温かく誘ってくれたのです。このどうしようもないワルのジョージ・ミュラーが、集会で、一人の人が神様の前でひざまずいて祈るのを見た瞬間、全く新しい何かが始まったのです。

ミュラーは、集会の帰りにこんなふうに言いました。「僕は、気持ちいいとか、楽しいと思って、いっぱい悪いことをやってきた。でも、今まで味わってきた喜びを全部足したとしても、今日のこの喜びには全然比べられない。」ミュラーは、その時からイエス様を信じ、少しずつ少しずつですが、確かに変わっていきました。そして、この人の祈りによって、次々とすばらしい奇跡が起こっていくのです。

皆さんは、本当のタカラを持っていますか？　イエス様は、あなたという家の中に入っていてくださいますか？　あるいは、あなたが神様から離れていることで、家族が困っているということはありませんか？　「今日、あなたの家に泊まることにしている。」イエス様をお迎えして、タカラを持ってください。

お祈りします。

2 まだオッケーじゃない?

僕の名前はけいご
人は僕のことをビューティー野郎って呼ぶんだ
なぜって？それは僕がいつも完璧な美しさを求めているからさ
じいや、今日の予定はどうなってる？
けいご様、今日は、はなえ美容室でカットをしていただくことになってございまーす。
ございまーす？おい、じいや、いいかげんそのなまりを直しなさい
かしこまりまーした。
……
じゃあ、行くか。
はなえ美容室ね。
HANA
いらっしゃいませ。今日はどんな髪形にしましょう？
僕の名前はけいご 人は僕のことをビューティー野郎って呼ぶんだ。僕が希望する髪形はただ一つ。
それは左右対称でございまーす。けいご様の完璧な美しさのため、右も左も同じでなければならないのでーす。
えええええええええ⁉
なんだか、ややこしそうですね… と、とにかくやってみます。
よろしくたのむ。

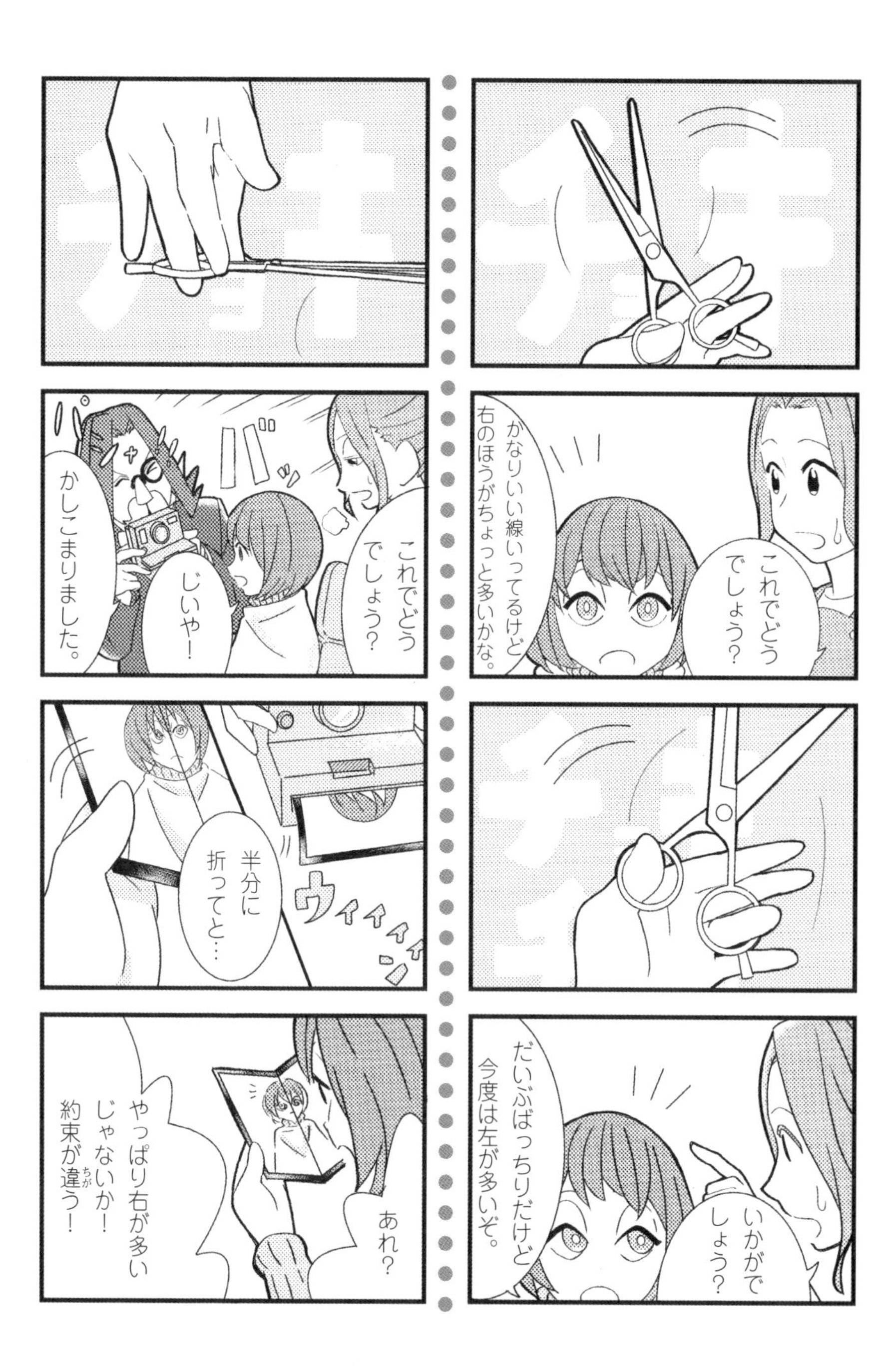
これでどう でしょう?
かなりいい線いってるけど 右のほうがちょっと多いかな。
いかがで しょう?
だいぶばっちりだけど 今度は左が多いぞ。
パ
バッ
これでどう でしょう?
じいや!
かしこまりました。
ウィィィィン
半分に 折ってと…
あれ?
やっぱり右が多い じゃないか! 約束が違う!

もう一度！
あああ、もうやってられないわ。のぞみ、交代して。
ええっ、私？
仕方ない。やるしかないわね。
どうでしょう？
右がちょっと…
これでどうでしょう？
ちょっともみあげが…
ちょっと待て！僕の髪の毛がなくなっちゃうじゃないか！
大丈夫！これでばっちりですよ。

お、おわりました…
うん、なかなかぴったりだ。それではドライヤーをたのむ。
おつかれさまでした~
じいや!最後に一枚撮ってくれ。
かしこまりました。
ウィイイイン
あれっ!?
ギク
バタン!!!
おつかれさまでした~!!
やっぱり右と左がちょっと違うじゃないか!もう一度だ!
けいご様、美容師のお二人は帰ってしまわれまーした。

メッセージ2

まだオッケーじゃない？

マタイの福音書19章16～26節

すると見よ、一人の人がイエスに近づいて来て言った。「先生。永遠のいのちを得るためには、どんな良いことをすればよいのでしょうか。」イエスは彼に言われた。「なぜ、良いことについて、わたしに尋ねるのですか。良い方はおひとりです。いのちに入りたいと思うなら戒めを守りなさい。」彼は「どの戒めですか」と言った。そこでイエスは答えられた。「殺してはならない。姦淫してはならない。盗んではならない。偽りの証言をしてはならない。父と母を敬え。あなたの隣人を自分自身のように愛しなさい。」この青年はイエスに言った。「私はそれらすべてを守ってきました。何がまだ欠けているのでしょうか。」イエスは彼に言われた。「完全になりたいのなら、帰って、あなたの財産を売り払って貧しい人たちに与えなさい。そうすれば、あなたは天に宝を持つことになります。そのうえで、わたしに従って来なさい。」青年はこのことばを聞くと、悲しみながら立ち去った。多くの財産を持っていたからである。

　そこで、イエスは弟子たちに言われた。「まことに、あなたがたに言います。金持ちが天の御国に入るのは難しいことです。もう一度あなたがたに言います。金持ちが神の国に入るよりは、らくだが針の穴を通るほうが易しいのです。」弟子たちはこれを聞くと、たいへん驚いて言った。「それでは、だれが救われることができるでしょう。」イエスは彼らをじっと見つめて言われた。「それは人にはできないことですが、神にはどんなことでもできます。」

マタイの福音書6章19～21節

自分のために、地上に宝を蓄えるのはやめなさい。そこでは虫やさびで傷物になり、盗人が壁に穴を開けて盗みます。自分のために、天に宝を蓄えなさい。そこでは虫やさびで傷物になることはなく、盗人が壁に穴を開けて盗むこともありません。あなたの宝のあるところ、そこにあなたの心もあるのです。

テレビに映っていないもの

前回、イエス様というすばらしいタカラを得るにはジャマが入る、ということをお話ししました。今回、そのことをもう少しだけお話ししたいと思います。テレビのことですね。

以前にある番組で、うその内容が放送されたことがバレて、その番組が打ち切りになったということがありました。皆さんは、テレビで言っていることがいつも本当だとは限らないことも知っているでしょう。でも「まあそんなにウソはないかな」「だいたい、まあ本当かな」と思って見るかもしれません。でも、実は、テレビに何が映っているか、ということ以上に、何が映っていないかということが大事なのです。特に、イエス様というお方について、テレビは本当のことをあまり見せてくれません。

僕が以前行っていた教会の人の感動的な物語が、テレビで放映されたことがありました。その人は、自分たちの家族が映ったそのビデオを教会に持ってきてくれて、いろいろ説明をしてくれました。その中で、手紙を書くシーンがあります。その人は字が汚いので、普段はワープロを使うのですが、テレビ的に良くないので、ということで、その時だけ手で書くことにさせられました。変ですね。でも、もっとおかしいことがありました。その方は「これまでの日々を神様に感謝」と手紙に書きました。ところが、テレビに映ったのは

「これまでの日々を……感謝」だけなのです。「神様に」というその人にとって一番大事な部分が、テレビでは放送されませんでした。

また、「アルプスの少女ハイジ」というアニメを皆さん知っているでしょう？　これは元の物語を読むと、ハイジが神様を信じて祈っていくということがとても大切にされています。そして、ハイジのおじいさんが、ハイジの読む放蕩息子の物語を聞いて、神様に悔い改め、その翌日教会に行くのですが、そんな話はアニメでは残念ながら出てきません。世界の名作という物語がたくさんアニメになって放送されました。ところが、アニメになる時、イエス様を信じるということのすばらしさは、なくなってしまうのです。全部とは言いませんが、そういうことが多いようです。

私たちの見るもの、聞くものは、これこそ本当にすばらしいと宣伝されるものがいっぱいあります。でも、そういういろんな宣伝の中にあって、皆さんが小学生の時から、本物を見抜く力というものを持ってほしいと思っています。

「信仰は聞くことから始まります。聞くことは、キリストについてのことばを通して実現するのです」（ローマ10・17）と聖書に書いてあります。私たちがイエス様というタカラを見つけるには何より、聖書のみことばを聞くという方法しかないのです。だから、バイブルタイムはとても大事なんだ、ということを知ってください。

金持ちの青年

さて、このイエス様というすばらしいお方を持つために、今日の聖書のみことばを見たいと思います。イエス様を信じる、このタカラを持つ、ということは聖書でいろんな言い方をします。永遠のいのちを持つとか、天の御国に入るとか、神の子とされるとか、罪赦されるとか、救われるとか、いろいろな言い方です。でも、それは一つのことを言っています。先ほど読んだところでは「永遠のいのちを得る」とか「天の御国に入る」という言い方をしています。

ここで一人の青年とイエス様が会話をしています。ちょっと聖書を読むのとは違う形で、聖書を読んでみたいと思います。スキットでこの時の会話をやってみます。では、青年役はAさん、そして、イエス様役は申しわけないけど、この僕。じゃあ、どうぞ。

青年　先生。永遠のいのちを得るためには、どんな良いことをすればよいのでしょうか。

イエス　なぜ、良いことについて、わたしに尋ねるのですか。良い方はおひとりです。

いのちに入りたいと思うなら戒めを守りなさい

青年　どの戒めですか。

イエス　殺してはならない。姦淫してはならない。盗んではならない。偽りの証言をしてはならない。父と母を敬え。あなたの隣人を自分自身のように愛しなさい。

青年　私はそれらすべてを守ってきました。何がまだ欠けているのでしょうか。

イエス　完全になりたいのなら、帰って、あなたの財産を売り払って貧しい人たちに与えなさい。そうすれば、あなたは天に宝を持つことになります。そのうえで、わたしに従って来なさい。

青年　（悲しい目をして去っていく。）

こんな感じのやりとりでした。この青年は、前回出てきたザアカイさんと似ているところと違うところがあります。まず気がつくのは、この青年はザアカイさんと似て、たいへんお金持ちだったということです。でも、この青年はザアカイさんとは違って、かなり真面目に神様の教えを守ってきた人です。だから周りの人からもとっても人気があって、評判も良かったと思います。けれども、やはりザアカイさんと同じように、イエス様のところに来ました。永遠のいのちが欲しい、と思ってやって来ました。これは似ています。

前回お話ししたように、やっぱり人間は本当のタカラを求めているんです。無限のもの、本物でなければダメなんです。自分がかなり真面目なんだけれども、何か足りない、そう思ってイエス様のところに来ました。そして、ザアカイさんとの一番大きな違いは、残念ながら、この人はイエス様を信じないで、ホントのタカラを持つことができないで、帰って行ったということです。お金を貧しい人たちに施さなかったというところも違います。

どちらに似ている

さあ、皆さんは、ザアカイさんと、今日のお話の青年と、どちらに似ているでしょうか。僕が考えるのは、たぶん皆さんは結構真面目なほうですから、どちらかといえばザアカイさんよりこの青年のほうに似ているのではないでしょうか。でも、だとしたら、大変ですね。

昔の僕は、この青年にとても似ていたと思います。まあ、真面目でした。教会学校にも行っていました。それだけじゃないんですよ。小学校三年生の時には「イエス様を信じる」と言って手を挙げました。そして、小学校三年生から四年生に上がる、三月十八日に洗礼も受けました。自分にできる良いこと、周りの人が「良いよ」と言うことは、だいたいやったんです。でも、何か足りない。思ったようなうれしさもない。僕はその時、イエス様を信じるということが、あまりよく分かっていなかったのです。そして、イエス様を信じたと言って喜んでいる周りの人たちのようには、自分が教会に熱心でもないし、喜んでもいないということも分かっていました。まだ何が足りないんだろう？　まだオッケーじゃないのか？　この青年は、そう思っていた僕の姿ととても似ているなあと思います。

　皆さんはどうですか？　キャンプなんかに来て、カウンセラーの優しいお兄さんの言うとおり、「はい、イエス様信じました、マル」なんて書いてみるけど、実は神様のことがそんなに分かっていなくて「何がまだ足りないんだろ？　まだオッケーじゃない？」なんて思ってませんか。

　この青年は、「永遠のいのちを得るためには、どんな良いことをすればよいのでしょうか」、自分は結構真面目に神様の教えを守ってきたけど、何か本当に足りないところがあると思って質問しています。イエス様にこれこれの戒めを守れと言われた後にも「私はそれらすべてを守ってきました。何がまだ欠けているのでしょうか」と質問していますね。たぶん、自分のココロの中では、パワーゲージみたいなのがあって、永遠のいのちに到達するには九〇パーセントくらい行っていると思ってたと思います。あとちょっとだと思うんだけれど、あとちょっと何が足りないんだろう、そうやってイエス様に聞いています。この人は自分で、自分の力で、永遠のいのちをゲットしようと思っています。

でも、イエス様はどう答えていますか？　「戒めを守りなさい。」ここでいう戒めは、聖書の十戒というものの一部です。そして、「完全になりたいのなら、帰って、あなたの財産を売り払って貧しい人たちに与えなさい」。そして、この青年がいなくなってしまった後で、「金持ちが神の国に入るよりは、らくだが針の穴を通るほうが易しい」とまで言っています。イエス様は、つまり、自分で完全になって、自力で神の国に入るなんてできっこないんだ、と教えられるのです。

これは、周りの弟子たちにとってショックでした。というのは、ザアカイのように悪いことをしていないのにお金持ちの人は、神様の特別な祝福をもらっている良い人だと思っていたからです。神様の祝福があり、神様の教えを忠実に守り、こうやってイエス様のところにわざわざ質問に来るぐらい熱心。なのに神の国に入れない。こんなにいい線行っている人でもダメだとしたら、いったいだれだったら救われるんだろうか、なんて言っていますね。

一番大きなジャマ

周りの人からどんなに評判が良くても、自分で自分のことをどんなに真面目だと思っていても、それは人間の見方です。神様の教えをちゃんと守っています、などと言うのはだれにもできません。神様から見て完全になることなどだれにもできないのです。これは、私たちの心にある、罪の問題です。イエス様を信じる、その一番大きなジャマは、友達でもテレビでもなくて、実は私のココロにある、あなたのココロにある、罪なのです。

皆さんはこのことを本当に真剣に考えたことがあるでしょうか？　たぶん、悩んだことが少しはあるのではないかと思います。どうして自分はやりたくないつもりの悪いことをしてしまうのか？　どうしてしなきゃいけないと分かっていることができないのか？　私たちはどんなにがんばって良いことをしても、永遠のいのちには届かない。九〇パーセントどころではない。ぜんぜんダメです。

ある小学校二年生の女の子が、ふとこんなお話をしてくれました。「私、道徳の時間って嫌い」、そう言うのです。そして「作文の時は、ココロにもないことを書く」と言うんですね。びっくりしました。自分が本当に正直に思っていることは「道徳の時間」には書けない。そんなことを小学校二年生の女の子が言ったのです。

僕は小学校三年生の時に、いちおう「イエス様を信じる」と言いましたが、本当はイエス様を信じるとはどういうことか分かっていませんでした。それだけでなく、学校の中でたいへん悪いいじめをしていました。一人の男の子をいじめていじめていじめ抜いたりしました。中学校になってもいじめていました。ある楽器が得意でない女の子がいて、グループごとに演奏する時に、僕はその女の子に「おまえは下手だから吹くな！　吹くふりをしろ」なんて言ったこともありました。その女の子が次の授業の時に学校からいなくなった時、ひやっとしましたね。だけど、僕はいじめをやめはしませんでした。

ある時などは、気に食わない男の子が自転車で車に轢かれそうになった時、僕は「危ない！」と叫ぶのではなくて「轢かれろ！」という言葉が口から出たりしました。恐ろしいでしょう？　ひどいでしょう？　でも、そんな言葉が僕の中から、僕のココロから出てきたのです。さすがにその時は、「信君、僕のことそんなふうに思ってたんか」と言われたし、自分でもそんなひどい言葉が自分の中から出てきたことにびっくりしました。でも、その後でも何回も何回も、自分の中からこんな言葉やこんなココロが出てくるのか、と驚くことがありました。

小学校の時の僕は真面目ということで評判でした。その上、教会にも行っていたし、洗礼まで受けていました。たぶん、その時、「いじめはなぜ悪いのか」という作文を書けと言われたら、普通にすらすら書いたでしょう。実際に、そんな意地汚ないいじめをしていたのに「最近の中学生は非行に走ってけしからん」というような文章で弁論大会に出たりもしたんです。

高校生の時、僕のお姉さんにぼそっと「あんたは、本当にはイエス様信じてないよな」と言われてドキッとしました。「お姉ちゃんやお兄ちゃんは本当に信じて変わった。だけど、私やあんたはまだや」と言うんですね。そのとおりだと思いました。

神様の戒めをちゃんと守っています、まだ足りませんか、あと何をしたら良いですか、と言えたとしても、神様のタカラをジャマする恐ろしい罪、というものが、だれにもあるんです。あなたにもあるんです。このことを本当に真剣に考えなくてはいけないのです。

神様にはできる

でも、イエス様が本当に伝えようとしたことは、「あなたにはできませんよ」ということではありません。人間にはできない、だからあなたは絶望しなさいということを言ったのではないのです。その次に話すことを、イエス様は伝えたかったんですね。イエス様の答え方に注目してみましょう。

17節「なぜ、良いことについて、わたしに尋ねるのですか。良い方はおひとりです。」

26節 イエスは彼らをじっと見つめて言われた。「それは人にはできないことですが、神にはどんなことでもできます。」

青年は、どれくらいたくさん良いことをしたらよいですかと聞きました。でもイエス様は、ただおひとりの良いお方、すなわち神様のことを話されました。弟子たちはだれが救われることができるでしょうと言いました。でも、イエス様は人にはできないけど、神様にはどんなことでもできる、と言ったのです。これが、イエス様が本当に伝えようとしていることなのです。

あなたは、自分で永遠のいのちをゲットしようとしたって、できっこない。でも、神様なら、あなたにあげることができる。神様ならば、あなたにプレゼントできる。なぜって神様にはできないことは何もないんだから。九十歳のおばあちゃんが子どもを産む、なんてこと、とてもできるはずがない。でも、神様には九十歳のおばあちゃんにそうさせることができる。三百人の兵隊で十三万五千人の軍隊に戦って勝つことなんて、とてもできない。でも、神様には三百人の兵隊たちにそうさせることができる。なぜって、神様にはできないことは何もないからです。

自分で神様の戒めを完璧に守って、神の国に入ることなんてだれもできない。でも、罪でいっぱいの人を、赦して、愛して、哀れんで、天の御国に入れることが神様にはできる。それをイエス様は教えてあげようとしたのです。

イエス様のココロ

どうしてこの青年は、イエス様のところから離れていったのでしょうか？　永遠のいのちよりも大切なものがあるでしょうか。どうしてこの人は離れていったのか。自分は真面目で結構いい線行っていると思っていたから、ショックでがっかりしたのでしょうか。そうでしょう。持っていたたくさんのお金のほうが、神様より大事になっていた。お金がこの人のタカラだったからでしょうか。そうでしょう。でも、僕は、この人が離れていった一番大きい理由は、イエス様が僕を愛してくれていること、この厳しい言葉は実は僕を愛して言ってくれているということ、イエス様のココロが分からなかったからだと思います。

皆さん、考えてみてください。「へっへっへ、私、あなたの心の中が全部見えますよ」なんて言う人が近づいてきたら、嫌でしょう？　「むっふっふ、私、一回死んでからここにいるんですよ、見てください、この傷」なんて言われたら怖いでしょう？　でも、イエス様は私たちのすべてを知っているし、今は死んで後によみがえって生きておられます。目には見えませんが、天におられます。それでもイエス様のことを怖いとか嫌だと思わないのは、イエス様が私たちを愛してくれていると分かるからなのです。

　イエス様の言葉は、私たちに罪があると言います。私たちにとってとても悲しい、つらい、厳しいことです。でも、その時に「イエス様は何を思って、このことを言っておられるのだろう？　私に意地悪をしようとしているのか、それとも私を愛して言ってくれているのか」そのことをちょっと考えればよかったのです。つまり、この人は、イエス様に、あなたの持ち物を売り払いなさい、貧しい人たちにあげなさい、天にタカラを積みなさい、そしてついて来なさい、と言われた時、「イエス様、今、あなたが言われたことがよく分かりません。僕の気持ちとしては、それをしたくないと思ってしまうのです。どうしたらよいでしょうか？」と聞けばよかったのです。でも聞きませんでした。それくらい、この人にとってお金がタカラでした。実は神様を一番にしない、この人の恐ろしい罪がそこにあったのです。

夏目漱石と小林さん

夏目漱石という人の残念なお話をしましょう。この人は、皆さんも知っているように、『吾輩は猫である』とか、『坊つちゃん』『こゝろ』などの有名な作品をいっぱい残した日本を代表する作家です。この人も、時々聖書を読んでいたようです。でも、「何か東洋的だなあ」とか「つまらない」などという感想をメモに書き残していました。復活、なんて信じられない、できるはずがない、あるはずがない。そうやって、日本を代表する作家であり、聖書も読んでいた夏目漱石ですが、この人が死ぬ間際に何と言って死んでいったか。「ああ苦しい、ああ苦しい、いま死んじゃ困る、いま死んじゃ困る」と言いながら亡くなっていったそうです。

どんなに自分で真面目だと思っていても、人からの評判が良くても、それだけでは神様の前に通用しません。私たちができる良いことは、神様の前から見ると、それでも罪がいっぱいです。そして、真面目で、聖書もちゃんと読んでいたのに、残念ながらほかのタカラが捨てられないで、イエス様のココロを知らないで、イエス様のところから離れていく人がいます。たくさんいます。どうぞ、そうならないで、「神様、私にはできません。でもあなたにはおできになります。どうぞ私にも永遠のいのちを与えてください」、そう祈る人となってください。

最後に小林さんというおじさんのお話をしましょう。この人は、まあだいたい真面目に生きよう。だいたいみんながやっていることをやろう。それでお酒を飲んだり、タバコをすったり、それから大人の楽しいことも、みんなと同じようにしていました。そして悪いことをする時には絶対にばれないようにしよう、と思っていました。人生の目標は、お父さんを見て、仕事でがんばって成功することだ、と思っていましたが、しかし、そのお父さんが仕事を引退してから本当に惨めな姿になってしまったので、これでいいのだろうかと思うようになっていきました。

そんなとき、この小林さんという人の奥さんが教会に行くようになって、そして洗礼を受けました。小林さんはびっくりしました。まさか自分の妻がクリスチャンになれるとは思っていなかったからです。しかし、奥さんが熱心に勧めるので、この人も教会に行くようになりました。礼拝に行っているうちに、人から比べるとまあまあ真面目で、立派な人間だと思っていた自分が実は、何と見栄っ張りか、何と悪い願いをココロに持っているかが分かってきたのです。そして、自分はなんて自分中心かということも分かってきた。この自分中心が罪であって、この罪人の私のためにイエス様が十字架にかかってくださったということが分かってきたのです。

そして、礼拝でこういうメッセージを聞きました。「白鳥は最後に死ぬ前に大きく鳴く。あなたはどんな白鳥の歌を歌う人生にするつもりですか？」と言われて、「ああ、僕はイエス様を信じて本当にすばらしい人生だった。本当にみんなにありがとう」、そういう白鳥の歌を歌いたい、と思いました。それでこの小林さんはイエス様を自分の救い主として信じたのです。

今、みんなはイエス様に近づいて、イエス様のみことばに近づいています。この大切な大切な時間に、よく考え、イエス様というまことのタカラを受け取ってください。

お祈りします。

3 天国って本当？

ゴホッ
ゴホッ
はい、
みなさん、こんにちは。
みなさんの担任に
なりました
石山ひろきといいます。
ヒロ先生って
呼んでください。
それじゃあ
出席をとります。
中川いずみさーん。
イエース、
ぼんじゅいる
ボンジュール！

あれ、
いずみさん、なかなかオシャレな返事ですね。
ヒロ先生、私、パパのお仕事でずっと外国にいました。
ゴホゴホッ
そうでしたか。なかなかお気どりさんですね。おっと失礼。
では次、
細井信太朗くん。
ばっ!!
おっぺけぺーー!!
うん？信太朗くん、返事がおかしいですよ…？
よく知ってるね
そんな古いコトバ
おっぺけぺーー！
先生、信太朗くんは罰ゲームで、今日はその返事しかできないんです！
そうでしたか、わかりました〜
オ〜イ！
って、わかるか〜!!

コホン
突然ですが、大切な話をするのでよく聞いてください。

先生は重い病気で、そのうち学校をお休みするかもしれません。

でも約束してほしいんです。先生がお休みしても、
先生のことをヒロ先生って呼んでください。いいですか？

はーい！ヒロ先生！

心配…

おっぺけ…

ヒロ先生！

ありがとう。

ーそして、少し時が経ったある日のことー
みなさんこんにちは！今日からヒロポン先生の代わりに担任をする、横田みゆです！みゆちゃんって呼んでね！

あれ？

ヒロ先生は？

ヒロ先生はどうしたんですか？

ヒロポンでいいわよ。
ヒロポンは病気のため、しばらく入院することになりました。
じゃあヒロ先生は戻ってこないの？
ヒロポンって言いなさい。ヒロポンがいつ戻ってくるかはわからないわ。
心配…
やくそく！
でもみゆちゃん！
私たち、ヒロ先生と「ヒロ先生」って呼ぶ約束をしたんです！
あらそう？変な約束ね。
でもいいわ。すぐに変わらなくて。
じゃあみなさん、さっそく授業を始めましょう。
そして一年が経ち、生徒はそれぞれ進級した。

みなさん、進級おめでとう。

また一緒に一年間がんばりましょう。

でも、その前にみなさんに悲しいお知らせをしなくてはなりません。

ヒロポンが…

えっ!!

ヒロポンがどうしたの!?

ヒロポンは大丈夫だよね!?

ヒロポンは亡くなられました…

ここに、ヒロポンが亡くなる前に撮ったみなさんへのメッセージがあるのでみんなで見ましょう。

あー、あー、
うまく映ってるかな？
みんな、こんにちは。
ヒロ先生です。
突然のことで驚かせてしまってごめんなさい。
そして、みんなに何もしてあげられなくてごめんなさい。
でも、短い間だったけど、みんなと同じクラスで楽しかったです。
みんな、ありがとう。
ヒロ先生より
ハッ！
ヒロ先生…
ヒロ先生！
ヒロ先生！
僕たち、約束を…
いつのまに…
どうして…

メッセージ3　天国って本当？

ルカの福音書23章33～49節

「どくろ」と呼ばれている場所に来ると、そこで彼らはイエスを十字架につけた。また犯罪人たちを、一人は右に、もう一人は左に十字架につけた。そのとき、イエスはこう言われた。「父よ、彼らをお赦しください。彼らは、自分が何をしているのかが分かっていないのです。」彼らはイエスの衣を分けるために、くじを引いた。民衆は立って眺めていた。議員たちもあざ笑って言った。「あれは他人を救った。もし神のキリストで、選ばれた者なら、自分を救ったらよい。」兵士たちも近くに来て、酸いぶどう酒を差し出し、「おまえがユダヤ人の王なら、自分を救ってみろ」と言ってイエスを嘲った。「これはユダヤ人の王」と書いた札も、イエスの頭の上に掲げてあった。

十字架にかけられていた犯罪人の一人は、イエスをののしり、「おまえはキリストではないか。自分とおれたちを救え」と言った。すると、もう一人が彼をたしなめて言った。「おまえは神を恐れないのか。おまえも同じ刑罰を受けているではないか。おれたちは、自分のしたことの報いを受けているのだから当たり前だ。だがこの方は、悪いことを何もしていない。」そして言った。「イエス様。あなたが御国に入られるときには、私を思い出してください。」イエスは彼に言われた。「まことに、あなたに言います。あなたは今日、わたしとともにパラダイスにいます。」

さて、時はすでに十二時ごろであった。全地が暗くなり、午後三時まで続いた。太陽は光を失っていた。すると神殿の幕が真ん中から裂けた。イエスは大声で叫ばれた。「父よ、わたしの霊をあなたの御手にゆだねます。」こう言って、息を引き取られた。百人隊長はこの出来事を見て、神をほめたたえ、「本当にこの方は正しい人であった」と言った。また、この光景を見に集まっていた群衆もみな、これらの出来事を見て、悲しみのあまり胸をたたきながら帰って行った。しかし、イエスの知人たちや、ガリラヤからイエスについて来ていた女たちはみな、離れたところに立ち、これらのことを見ていた。

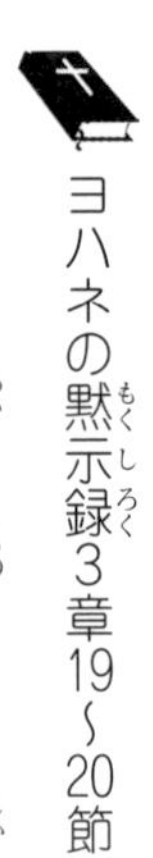

ヨハネの黙示録3章19〜20節

> わたしは愛する者をみな、叱ったり懲らしめたりする。だから熱心になって悔い改めなさい。見よ、わたしは戸の外に立ってたたいている。だれでも、わたしの声を聞いて戸を開けるなら、わたしはその人のところに入って彼とともに食事をし、彼もわたしとともに食事をする。

天国ってどんなところ？

三回目の聖書のお話をします。

いったい、天国ってどんなところでしょうか？　どうやったら行けるのでしょうか？　このタカラを、自分では手に入れられないタカラを、どうやったら持てるのか。そのようなことをともに考えたいと思います。イエス様が十字架にかけられて死なれた、このみことばを聞きながら考えたいと思うのです。

もしかしたら、ある人はこう思うかもしれません。「イエス様が十字架にはりつけられて死んだ箇所を読んでいるのに、自分たちは天国に行こうとか、タカラをもらおうとか考えるのは、自分勝手ではないか」と。確かに、苦しんでいる人を見ながら、自分は楽をしようとすれば、申しわけないなあと思いますね。先日、地震がありましたけど、地震で家の壊れた人のニュースなどを見ると、自分が家でぬくぬくと休んでいるだけで、何か悪いなあという気持ちになります。でも、そうではないのです。

私たちが神様を無視し、神様から離れている。聖書はそれを「罪」と言いますが、神様から離れているので、私たちは本物のタカラ、神様のところに帰るまで満足できません。でも逆に、罪があるので、神様のところに行こうと思っても、自分でやろうとしても、ジャマが入るのです。私たちの持っている罪という恐ろしい問題は、簡単に解決することができません。自分ではどうすることもできません。しかし、それを解決するためのたった一つ、神様が準備してくれた方法が十字架なのです。ですから、「私が天国に入る」ためには、どうしてもイエス様の十字架がなくてはなりませんでした。これを考えるのは、何かイエス様に悪いなあ、と思ってはなりません。これを考えなければ、私たちに本当のタカラはないのですから。だから、イエス様の十字架を一緒に見るのです。

十字架は、皆さん知っていると思いますが、死刑の方法です。イエス様の時代の人は、だれも十字架をネックレスとか飾りにはしませんでした。それはあまりにむごい死刑の方法だったからです。人が、十字架に釘づけられて出血し、呼吸が苦しくなり、何日もかけて死んでいく。そんなむごく恐ろしい十字架は、人々がとてもイヤだと思って、考えたくないことでした。ところがイエス様は、その十字架にかかって苦しまれたのです。イエス様は、神であるお方ですが、人間となられ、私たちと同じようにこのからだを持っておられました。イエス様は神様だったから痛くなかったのではありません。十字架で裸にされ、釘づけられ、血を流し、痛みながら死んでいかれたのです。

十字架でのイエス様の言葉

では、十字架でのイエス様の言葉と周りの人たちの言葉を比べながら、イエス様の十字架を考えましょう。

イエス様が十字架につけられた時、まず出てきた言葉は、「父よ、彼らをお赦しください。彼らは、自分が何をしているのかが分かっていないのです」というお祈りでした。なんとイエス様は、自分を十字架につけている周りの人たちのために、その罪が赦されるようにお祈りなさったのです。それに対して、十字架を周りで見ていた人たちは、「もし神のキリスト……なら、自分を救ったらよい」と言って、バカにしていたのです。

そもそも、どうしてイエス様が十字架にかからなければならなかったのでしょう？　それは、ほかの人たちの罪のせいです。イエス様が奇跡をしたり、病気を治したり、教えたりして、人気が出るのを見て、憎たらしい、殺そうと思った偉い人たちがいました。その人たちに動かされて、わけも分からずイエス様を「十字架につけろ、十字架につけろ」と、バカみたいになって叫んだ群衆がいました。イエス様には何の罪もないということがはっきり分かっていたのに、大勢の人たちが狂ったように叫ぶので、しかたなく十字架刑にした裁判官、総督ピラトがいました。イエス様のためにはいのちも捨てますと言ったくせに、イエス様を見捨てて逃げ出した弟子たちがいました。そういった周りの人たちみんなの罪のために、イエス様は死刑にされたのです。

　けれども、ただそれだけではありません。イエス様はただの被害者ではありません。もしそうだとしたら、イエス様は十字架にかかった時に、「こんなはずじゃなかったのに」と言ったでしょう。そうは言わなかったのです。そして数々の奇跡を行ったイエス様、父なる神様に祈ればすぐにでも御使いたちの助けをいただくことができるイエス様が、十字架から下りて来ない。それは、イエス様がただ人の罪のせいで十字架にかかったのでなく、ご自分から人の罪のために、人の罪を背負い、赦すために十字架にかかられたのだと分かります。いや、イエス様は、十字架にかかって死ぬためにこの世界に来てくださった、生まれてくださったのです。そして、父なる神様は、神のひとり子イエス様をすべての罪人の身代わりとするというご計画をあらかじめ立てていたのです。しかし、そのとおりにするイエス様は、何という強い心を持っておられるのでしょうか。

「彼らを赦してください」

周りの人たちは、イエス様を見た目で判断しました。「なんだ、いろいろすごい奇跡をやったのに、キリストだと言われていたのに、惨めに十字架にかかって血を流しているじゃないか。」ところが、イエス様は、強い気持ちで人を救うため十字架にかかり続けているのです。そして「どうぞ、彼らを赦してください。神から離れている、神に反逆しているのだということが自分で分からない、あの人たちを、父よ赦してください」と祈っているのです。

イエス様が「彼らを赦してください」と言ったその言葉は、だれのことを言っているのでしょうか？　ご自分の手に釘を刺したり、脇を槍で刺したりした人のことも言っているのでしょうか？　ご自分を憎んで死刑にした人たちや、死刑の判断を下したピラト、「十字架刑だ！」と叫んだ群衆も「赦してください」と祈っているのでしょうか？　逃げた弟子たちのこともでしょうか？　そうです、イエス様は「あの人だけは絶対に赦さない」とは言わないで、このすべての人のことを祈っているのです。

　では、あの時、その場にいなかった私たちのことはどうでしょうか？　私たちのためには祈らなかったのでしょうか？　いいえ、やっぱりイエス様は、私たちのことも、祈ってくださったのです。神を離れている、神に逆らっているということが分からない、そして直せない彼らを赦してください、と私たちのためにも祈ってくださったのです。

　イエス様は「自分を救え」とバカにされる中で、自分を救いませんでした。ほかの人々を救うためです。イエス様は、いのちをかけて私たちが赦されるようにと祈ってくださったお方なのです。

二人の犯罪人

　十字架にかけられている二人の犯罪人も、初めはイエス様をバカにしていましたが、そのうち一人は、心が変わってきました。その人は、イエス様をバカにしていたもう一人に向かって、こう言っています。

「おまえは神を恐れないのか。おまえも同じ刑罰を受けているではないか。おれたちは、自分のしたことの報いを受けているのだから当たり前だ。だがこの方は、悪いことを何もしていない。」

そしてイエス様に向かっては、こう言いました。

「イエス様。あなたが御国に入られるときには、私を思い出してください。」

この人は、悪いことをして、その結果、罰として、報いとして苦しんでいます。この人のせいで、被害を受けた人がいるでしょう。殺された人だっていたかもしれません。苦しめられるのは当然なのです。私たちも、悪いな、と分かっていても、本当にやめられない時があります。自分が苦しむまで分からない。そして苦しむ時には、もう遅いのです。でも、自分と一緒になって十字架にかかっているイエス様が、十字架にはかかっているけれども、自分とは全然違うお方だ、ということが分かったのです。この強盗は、見た目で判断しないで、イエス様のお姿をココロで見ることのできた人です。「私を思い出してください。」イエス様が天の御国で王様の位に着く時には、どうぞ私も忘れないでください、私もそこに呼んでください、と言うのです。

さんざん悪いことをして生きてきたこの強盗のお願いは、それでも天国に行こうなんていう考え方は、何かとてもずるい、卑怯なことのように思います。この人のせいで苦しんだ人たちが聞けば、きっと反対したことでしょう。「その人を天国に入れるなんて、絶対にしないでください」と。けれども、イエス様は何と答えているでしょうか。

「まことに、あなたに言います。あなたは今日、わたしとともにパラダイスにいます。」

なんと、イエス様は、こんな犯罪人にさえ、パラダイス――天国と考えていいでしょう――、天国の約束をしているんです。天国は本当です。お前はさすがに悪すぎる、とか、もう遅すぎる、と言わないんですね。イエス様にどうぞ私を赦してください、どうぞ救ってください、と本当に願ってダメな人はいないのです。なぜなら、イエス様は、救ってくださるお方だからです。

私たちは、だれでも、本当に天の御国に入りたいなら、本当のタカラを持ちたいなら、この犯罪人と同じように、「ずるいお願い」「卑怯なお願い」をしなくてはなりません。私のココロを正直に考えたら、とてもそんなことお願いできないんだけど、でもイエス様、どうぞ私も救ってください、と言うのでなければいけないのです。もし「イエス様、私だったらそろそろ良いでしょ？」なんて言うような人は、イエス様が十字架で身代わりとなってくださらなければいけないほどの自分の罪が分かっていないんです。しかし、イエス様に「どうか私を思い出してください」とお願いする人は、必ず「今日」その時に天国入りを約束してもらえるのです。

百人隊長の告白

その十字架では、到底考えられないようなことが起こりました。太陽が光を失って全地が暗くなったのです。このように、春分に近い時期に、日食、つまり暗くなるということはありえないことだそうです。そして、神殿の幕が真っ二つに裂けました。神殿の最も奥の部屋、至聖所というところは、神様に選ばれたたった一人の大祭司だけが年に一回だけ入れる、とても神聖な場所であり、その前に幕が張ってあったのですが、その幕が裂けました。そして、イエス様が「父よ、わたしの霊をあなたの御手にゆだねます」と言って息を引き取られました。何の罪もない、きよい神の御子が、十字架で犯罪人とともに死刑にされたのです。ありえないことが、この十字架で起こりました。

それを見ていた百人隊長はどうしたでしょうか。「神をほめたたえた」のです。そして「本当にこの方は正しい人であった」と言いました。この百人隊長は、こういう仕事ですから、今まで死刑にあった人を何人も見てきたでしょう。十字架刑で死ぬ人たちを何人も見てきたでしょう。ローマ兵の軍人さんですから、聖書をよく知っているとは思えません。けれども、この人が「神様を賛美した」のです。キャンプに来て、「さあ賛美しましょう」と言われたわけではありません。きれいな演奏してくれる人たちがいるわけでもありません。ただ、イエス様が十字架で死なれた様子を見た時に、ありえないことが次々と起こったのを見た時に、神をほめたたえないではいられなかったのです。そして、イエス様が、やはり何の罪もない、正しいお方だった、と言わないわけにはいかなかったのです。

天国への招き

今、イエス様は死者の中からよみがえって生きておられます。そして、だれが私をココ口の中に迎えてくれるだろうか、と待っておられるのです。私たちを愛して、あのむごたらしい十字架でいのちを捨てるほどに私たちを愛してくださったイエス様は、皆さんのココロの中に入りたい、入りたいと願っておられるのです。

イエス様は、今、こう言われています。

見よ、わたしは戸の外に立ってたたいている。だれでも、わたしの声を聞いて戸を開けるなら、わたしはその人のところに入って彼とともに食事をし、彼もわたしとともに食事をする。

天国とは、いったいどんなところでしょうか？　聖書にはいろいろな説明が出てきます。今の言葉もそうです。天国ではっきりしているのは、それはイエス様とのとても親しいお食事会、イエス様は私のタカラ、私はイエス様のタカラという、とても親しいおいしいお食事の時のようなうれしさです。それは、ただ死んだらやっと入れるだけではなく、生きている今も、味わうことができるうれしい時なのです。

でも、その食事の時はどうやって始まるのでしょうか？　その扉を開けるのはだれでしょうか？　イエス様はただ戸の外に立ってたたくだけです。あなたのココロの戸の外に立って「開けてください」と言っておられる。けれども無理やりに入ってはきません。扉を開けて、イエス様を中にお入れするかどうかは、ただあなただけが決めるのです。

雪のたから

『雪のたから』というお話の一部分を紹介しましょう。

アンネットという少女が、イエス様を心にお迎えする、ということについておばあちゃんに尋ねます。このアンネットは、イエス様を受け入れようとするのですが、自分の弟を崖から落とし、足を不自由にしてしまったルシエンという男の子を憎み、赦せないでいました。

アンネットは、少し元気のない声で答えました。それから急に、

「おばあさん、イエスさまがわたしたちの心の戸をたたいていらっしゃるって、どういうことなの？」

と聞きました。

おばあさんは編み物をひざに置き、アンネットの顔をじっと見つめながら言いました。

「それはね、こういうことなのよ。救い主イエスさまは、あなたが悪いことをしたり、悪いことを考えたりするのをごらんになったの。そして、あなたが当然受けなければならない罰を、あなたの代わりに受けるために、天からこの世にくだって、十字架に、はりつけになってくださったの。そして、あなたの心の中に住んで、心の中の悪い考えを追いはらい、よいことばかり考えることができるように、復活されたのよ。イエスさまはちょうど、きたない、暗い、ほこりだらけの家の戸をたたいて、『もし、わたしを家の中に入れてくだされば、ほこりをはらい、暗やみを追い出して、美しい、明るい家にしてあげますよ』と言っている人のようなの。でも、その人は、決して戸をおし開けて入るようなことはしないの。ただ、入ってもよいかと、聞いているだけなのよ。これが戸をたたくということよ。そして、あなたが『イエスさま、わたしは、あなたに来ていただかなければなりません。どうぞわたしのところに来て、わたしの心の中にお住みください』と言えば、これが戸を開けるということなのよ。」

アンネットは、じっと、おばあさんに目を注ぎました。二人は、長い長い間、だまってすわっていました。

それからアンネットは、腰かけをおばあさんのそばに引きよせ、おばあさんのひざによりかかるようにして言いました。

「でもね、おばあさん。もし、だれかを憎んでいれば、イエスさまに、『心の中にお入りください』と言うことはできないでしょう？」

「もしだれかを憎んでいれば、それこそ、よけいイエスさまに来ていただかなければならないのよ。部屋が暗ければ暗いほど光がいるでしょう。」

おばあさんが言いました。

「でも、わたし、ルシエンが憎くて仕方がないの。憎まないようにしようとしても、どうしてもそれができないの。」

アンネットは、じっと考えこむようにして、長く編んだかみの毛をいじりながら静かに言いました。

「そうなのよ。あなたの言う通りよ。わたしたちはみな、悪いことを考えないようにしようとしても、できないものなの。でもね、アンネット、あなたは朝起きた時に、この部屋の雨戸がしまっていて、部屋が真っ暗だったら、まず、この暗やみを追い出してから、雨戸を開けて光を入れようと思うかしら。暗やみを追いはらうのに時間をむだにするかしら。」

おばあさんが言いました。

「もちろん、そんなことしないわ。」

「それなら、どうやって暗やみをなくすの。」

「雨戸を開けるわ。そしたら、光が自然に入ってくるんですもの。」

「じゃあ、暗やみはどうなるの。」

「知らないけど、光が入ってくると、どこかへ行ってしまうわ。」

「あなたが、イエスさまに、心の中にお入りくださいとお願いしたら、それと同じことが起こるのよ。イエスさまは愛でいらっしゃるの。心の中に愛が入ってくると、憎しみもわがままもみんな消えてしまうのよ。ちょうど日光を入れるとやみが消えてなくなるようにね。でも、自分の力でそれを追い出そうとするのは、暗い部屋から暗やみを追いはらおうとするようなものなのよ。そんなことをしても、時間をむだにするだけなのよ。」

（松代恵美訳）

さて、皆さん、イエス様はあなたが赦されるために、あのむごい十字架で死なれました。そこで血を流しながら、祈ってくださいました。そして、今や復活し、あなたの罪の心を赦し、きよめたいと願って、「入れてください」と戸をたたいているのです。扉を開けますか？　イエス様を私のタカラです、と言いますか？

島秋人という人

最後に、島秋人という人を紹介しましょう。この人は、子どもの頃から成績が悪く、いつもクラスでビリでした。友達からも教師からも「バカ」と言われていた人です。お父さんは警察官をしていましたが、仕事がなくなり、貧乏になって、お母さんは病気で死んでしまいました。この人も病気でからだが弱かったのですが、中学を卒業していくつか仕事をしたけれどもうまくいかず、どんどん悪いことをして、少年院に入ったり、放火事件を起こして刑務所に入ったりしていました。そしてとうとう、二十四歳の時、ある農家でお金を盗もうとした時に見つかってしまい、その農家の主婦を殺してしまいました。そして捕まり、死刑囚となったのです。

この人は刑務所の中で、一つのことを思い出しました。生涯でたった一度だけ、学校の先生にほめられたことです。「絵は下手だが、構図がいい。」そうやって言われたのを思い出し、その先生に手紙を書きました。「先生、僕は今、人を殺して死刑囚となり、刑務所にいます。僕はだれからもほめられたことがなかったけれど、たった一度だけ、先生が僕をほめてくださったのを思い出し、先生の絵が見たくなりました。」するとその先生はすぐに返事を書き、そして先生の奥さんは、この島秋人さんに「短歌を歌いなさい、歌を作りなさい」、そうやって勧めたのです。島秋人さんはこの勧めに従って、自分の気持ちを正直に歌にしました。この先生の奥さんと何度も手紙のやりとりをして、短歌を一生懸命習いました。

そのうち、短歌をする千葉さんというクリスチャンの仲間ができて、千葉さんとも手紙のやりとりをすることになりました。このクリスチャンの人に勧められて、島秋人さんはイエス様を信じて洗礼を受けたのです。そして、この千葉さんに、養母、つまりお母さんになってもらったりしたのです。島秋人さんは、こういう歌を残しています。

母在らば死ぬ罪犯す事なきを知るに尊き母殺めたり

もし僕にお母さんがいたら、死刑になるような罪を犯さなかっただろうに。千葉さんにお母さんになってもらって、お母さんは何てすばらしいのかと分かったけど、そのすばらしいお母さんを僕は殺してしまったんだ、そうやって歌っていますね。そして、死刑の日が次の日に迫った夜、最後の歌を詠みました。

　この澄めるこころ在るとは識らず来て刑死の明日に迫る夜温し

こんなに澄んだこころがあるなんてことは今まで知らずに生きてきた、けれど死刑の日が明日に迫った今日の夜は温かいなあ、そうやって歌ったのですね。

「父よ、彼らをお赦しください。彼らは、自分が何をしているのかが分かっていないのです。」

イエス様は、この島秋人さんのためにも祈られました。

「あなたは今日、わたしとともにパラダイスにいます。」

この人のためにも、イエス様は約束されたでしょう。そして、今、あなたのココロの戸の外に立って、イエス様は言っています。

見よ、わたしは戸の外に立ってたたいている。だれでも、わたしの声を聞いて戸を開けるなら、わたしはその人のところに入って彼とともに食事をし、彼もわたしとともに食事をする。

イエス様をタカラとして持つ生涯を、すばらしいうれしい生涯を、始めてほしいと思います。その時、天国は本当だ……と分かるでしょう。

お祈りしましょう。

4 イエス様に、できることを

メッセージ4

イエス様に、できることを

マルコの福音書14章3~9節

さて、イエスがベタニアで、ツァラアトに冒された人シモンの家におられたときのことである。食事をしておられると、ある女の人が、純粋で非常に高価なナルド油の入った小さな壺を持って来て、その壺を割り、イエスの頭に注いだ。すると、何人かの者が憤慨して互いに言った。「何のために、香油をこんなに無駄にしたのか。この香油なら、三百デナリ以上に売れて、貧しい人たちに施しができたのに。」そして、彼女を厳しく責めた。すると、イエスは言われた。「彼女を、するままにさせておきなさい。なぜ困らせるのですか。わたしのために、良いことをしてくれたのです。貧しい人々は、いつもあなたがたと一緒にいます。あなたがたは望むとき、いつでも彼らに良いことをしてあげられます。しかし、わたしは、いつもあなたがたと一緒にいるわけではありません。彼女は、自分にできることをしたのです。埋葬に備えて、わたしのからだに、前もって香油を塗ってくれました。まことに、あなたがたに言います。世界中どこでも、福音が宣べ伝えられるところでは、この人がしたことも、この人の記念として語られます。」

コリント人への手紙第一15章58節

ですから、私の愛する兄弟たち。堅く立って、動かされることなく、いつも主のわざに励みなさい。あなたがたは、自分たちの労苦が主にあって無駄でないことを知っているのですから。

本当のタカラは「恵み」

今から四回目のメッセージをします。

まず初めに、今まで三回、僕なりに一生懸命話したのですが、でも、話し方がまずかったところもいっぱいあったと思います。そのために、皆さんが、聖書のことを間違って考えているかもしれません。だから、本当はそうじゃないんだよ、本当はこっちなんだよ、ということを七つほど、お話ししたいと思います。

まず一つ目。イエス様というタカラは、お返しじゃないんだよ、恵みだよ、ということです。財産を施したザアカイさんが救われて、お金を手放せなかった青年が救われなかったので、もしかすると、お金を全部だれかにあげないと、天の御国には入れないと思った人があるかもしれませんが、そんなことはありません。だって、みんなの周りにいるクリスチャンの人たちは、みんな一文無しですか？　そうじゃないでしょう？　ザアカイは、罪を悔い改めて、イエス様を信じた結果、お金を人にあげたのです。救われたからあげたのです。あげたから救われたのではありません。永遠のいのちは、神様に私たちが良いことをした「お返し」にもらうのではなくて、ただで、何もしないのに、イエス様を信じただけ、受け入れただけでもらえる「お恵み」なのです。

二つ目。お返しじゃないけど、祝福も罰もあるよ、ということ。イエス様を信じて従う時には「祝福」があります。これは「お返し」ではありません。だって、一時間お皿洗いのバイトをして、百万円もくれたら「これはおかしい」と思うでしょう？　神様の祝福はそれくらいすごいのです。でも、イエス様を信じても、言うことを聞かないと罰もあります。イエス様を信じた人は、神様の子どもです。親が、愛する子どもをほめたり叱ったりするように、神様は愛する子どもに祝福と罰を与えられます。

　三つ目。イエス様を信じてもダメなんてことはない。イエスさまを信じた人は、信じただけで救われます。二回目のメッセージで、僕が小学校三年生の時にイエス様を信じたと言ったけど、「何か足りない」と思っていたとお話ししましたね。これは、信じただけでは救われないということではありません。安心してください。僕は、信じると言ったけど、信じるということの意味がよく分かっていなかったのです。イエス様を信じ、受け入れた人は、必ず救われます。どうして？　なぜって、信仰は神様からのプレゼントだからです。講師の先生がお話をします。そして皆さんが決心をします。すると、その決心はだれかが作ったものと思うかもしれません。自分で心に決めた……と思うかもしれません。けれども、あなたの心に信仰がある、というのは、神様がプレゼントしてくれたのです。

　僕は、小学校三年生の時から大学の一年生の時まで、神様の救いが十年間よく分かりませんでした。ずっと聖書のメッセージを、まあ一生懸命ではないにせよ、聞いていたのに、です。大学一年生の時、僕の罪のためにイエス様が十字架で死んでくださったんだ、と初めて分かりました。「それなら信じるしかないじゃないか！」という感じでした。僕はその後、あるメッセージを聞いて、罪の告白の長ぁいながーい手紙を書きました。牧師であるお父さんに、です。「今まで信じてたふりしてたけど、分かってませんでした。でも、今、信じました。隠れてこれこれのことをしました……」ってね。そしたら、お父さんから返事が来ました。「信は、今まで『いい子』ではあったけど、誠実な子ではなかった。勇気を出して告白してくれてありがとう。」で、「この罪はこうしなさい」「あの罪は、もういいでしょう」……と一つ一つの罪の処理の仕方も教えてくれました。それから、いじめたお友達にはやっぱり手紙を書きました。何人もいじめたので、何通も、そして、十年近くも経っていたけど、書いたんですね。でも、こういう全部のことをやってから救われたのではなくて、救われたから、悔い改めの実を一つ一つ結ばせてもらったのです。

信じたらどう生きる?

四つ目。信じた人はまだ完全じゃない。でも、神のいのちはスタートしています。イエス様を信じたからといって、ありとあらゆる良いことが完璧にできるようにはなりません。罪を全く犯さなくなるわけでもありません。だれも、どんなクリスチャンも完全ではありません。けれども、信じた人のうちには、確かに神のいのち、イエス様のいのちが始まっていて、だんだんだんだん、少しずつ確かに、赤ちゃんが成長するように、神様のいのちが成長し、その人はイエス様に似ていきます。そして、信じた人から、この神のいのちを奪うことはだれにもできません。「あれぇ？　僕、イエス様信じたのに、どうしてこんなことをしちゃったんだろう？」なんて思うかもしれませんが、日々悔い改めです。悔い改めても赦されないほど大きな罪はありません。悔い改めないで赦される小さな罪もありません。

　五つ目。イエス様を信じるのに、遅すぎた、ということはありません。でも、イエス様を信じるのは、いつでもいいわけではありません。あの十字架の犯罪人は、死ぬ間際、ギリギリでイエス様を信じて、天国へすべり込みセーフでした。そしたら私たちも死ぬ直前に信じたら良いのか。そりゃあ、やっぱり死ぬ直前で信じても、ちゃんとこのタカラはもらえますが、その考えは甘すぎます。私たちはいつ死ぬか分かりません。世界はいつ終わるか、イエス様はいつこの世界に来るか、分かりません。聖書はいつでも「今」信じなさいと言うのです。

　ところでみんな、このキャンプ、楽しかった？　もう帰りたい？　また来たい？　友達も連れて来たい？　そう思っているとしたら、それは、イエス様という本当のタカラを持っているか、欲しいかのどちらかですね。それなら信じたらどうでしょうか。みんなね、自分が心から信じていることを、「信じています」と言うのは決して恥ずかしいことではないんです。

六つ目。イエス様を信じた人は、決して永遠のいのちを失うことはないから、これからどんどん悪いことをして罪を犯してもいいんでしょうか。絶対にそんなことはありません。イエス様がいのちを捨ててまで僕を愛して赦してくださったと信じる人は、そんな考え方はしません。もしそんなことを考えているなら、その人はイエス様を受け入れたとは言えないでしょう。

七つ目。イエス様を信じた人は、もう天国行きが決まっているので、あとはだらだら、何もしなくてもいいのでしょうか。これからのメッセージは、この質問に対する答えです。その答えを先に言えば、いいえ、私たちは自分ができる最も良いものをイエス様におささげしましょう。これが、今回の聖書のメッセージの結論です。

ナルドの香油

先ほど読んだマルコの福音書14章を開けてください。これは、前回から少しさかのぼっていて、イエス様が十字架にかかられる前の出来事です。その時に、一人の女の人が、非常に高価な香油――香水みたいなものですね――ナルドの香油をイエス様に注いだのです。

このびっくりする出来事をどう見るのか。二つの見方があります。一つの見方はムダだというものです。4節から5節。

すると、何人かの者が憤慨して互いに言った。「何のために、香油をこんなに無駄にしたのか。この香油なら、三百デナリ以上に売れて、貧しい人たちに施しができたのに。」そして、彼女を厳しく責めた。

何でこんなにムダにしたのか。「厳しく責めた」とあります。何人かの者が言ったと書いてありますが、これは実はイエス様の弟子たちです。「売り払って、貧しい人たちにお金をあげたらいいのに……！」モーレツに怒りました。だいたい、イエス様の弟子たちというのは貧乏なんですね。たぶん、それもあって、ものすごく怒ったんじゃないでしょうか。そして、この女の人は、心配になっていたと思います。イエス様に奉仕するために自分をささげて、「ばっかじゃない？　ムダじゃない？」と言われたことのある人は、この女の人の心配を知っています。弟子たちの意見は、少し見ると、かなり正しいように思えますね。

でも、もう一つの見方がありました。この女の人は立派だという見方です。イエス様の意見です。イエス様はこの女の人をかばっておられます。6~8節。

　すると、イエスは言われた。「彼女を、するままにさせておきなさい。なぜ困らせるのですか。わたしのために、良いことをしてくれたのです。貧しい人々は、いつもあなたがたと一緒にいます。あなたがたは望むとき、いつでも彼らに良いことをしてあげられます。しかし、わたしは、いつもあなたがたと一緒にいるわけではありません。彼女は、自分にできることをしたのです。埋葬に備えて、わたしのからだに、前もって香油を塗ってくれました。」

イエス様は四つのことを言っていますね。

一、この女の人はわたしのために立派なことをしてくれた。

二、貧しい人たちはいつでもいるから、彼らに良いことをしてやるのはいつでもできるけど、わたしはいつでもいるわけではないから、今しかできないことをしてくれた。

三、この女の人は、自分にできることをしてくれた。

四、この人は、わたしが死んで後、墓に入れられる埋葬の用意をしてくれた。……ね、イエス様はすごくほめてくれているでしょう?

マリアには分かった

でも、この女の人はだれなんでしょう? どうしてこんなことをしたんでしょう? どうして弟子たちはこんなに怒ったのでしょう? もう一か所、聖書を開いてみましょう。ヨハネの福音書12章1～6節です。

さて、イエスは過越の祭りの六日前にベタニアに来られた。そこには、イエスが死人の中からよみがえらせたラザロがいた。人々はイエスのために、そこに夕食を用意した。マルタは給仕し、ラザロは、イエスとともに食卓に着いていた人たちの中にいた。

一方マリアは、純粋で非常に高価なナルドの香油を一リトラ取って、イエスの足に塗り、自分の髪でその足をぬぐった。家は香油の香りでいっぱいになった。弟子の一人で、イエスを裏切ろうとしていたイスカリオテのユダが言った。「どうして、この香油を三百デナリで売って、貧しい人々に施さなかったのか。」彼がこう言ったのは、貧しい人々のことを心にかけていたからではなく、彼が盗人で、金入れを預かりながら、そこに入っているものを盗んでいたからであった。

香油を注いだのはマリアです。そして激しく怒った弟子は、その中心人物は、イエス様を裏切ったユダです。どうして弟子たちはこんなに怒ったのか——ユダ以外の弟子たちはユダにつられたのです。そしてユダは、貧しい人たちのことを心配していたのでなくて、実は、どろぼうだったのですね。貧乏な人にあげたほうがいい、なんて、いかにも正しい言葉に聞こえるけど、実はどろぼうの言葉、イエスさまをお金で売ろうとする、とんでもないやつの言葉なんです。

じゃあ、マリアはどうしてこんな思い切ったことをしたんでしょう。一つは、とてもはっきりしています。それは、死んだ弟ラザロを生き返らせてもらったからですね。イエス様、本当にありがとう。感謝のささげものでした。

でも、もう一つ大切な理由がありますね。マリアさんは、ルカの福音書10章を読むと、イエスさまの足もとにすわって、じーっとイエス様のみことばを聞いた人です。それで、マリアさんには分かったんですね。イエス様がこれから十字架にもうかかられる、ということが。イエス様は親しい弟子たちには、ご自分がこれから十字架にかかる……と話していました。でも、ほとんどの弟子たちはぼーっとしていて、よく分からない。でもじっとみことばを聞いていたマリアさんには分かったのです。ここだ。今だ。今、イエス様におささげしなければ……と分かったのです。みことばを本当に聞いている人は、自分のなすべきことが分かるんです。

三百デナリの香油は、今のお金でいうと、二百五十万円くらいかな。皆さんのお母さんや、お姉さんで二百五十万円の香水もっている人！　なかなかいないよねえ。ここから、ちょっと想像の翼を広げてみたいと思います。マリアさんは香油をかけて何が言いたかったんだろう……？　この人こそが、油注がれた方、神の御霊に満ちた方、キリストです……と言いたかったのかなあ……想像ですけどね。

マリアさんは、ほぼ一年分の給料分くらいのこの香油を、何のために持ってたんだろう？　もしかして、自分がだれかと結婚するとき、お金がかかるから、そのための蓄えとして持っていたんだろうか？　それをささげた、ということは、結婚できなくなるか、それとも、結婚が大幅に遅れることになるんだろうか……想像ですけどね。この人は、イエス様のために自分ができる最高のものをささげました。立派なことをしました。

ムダじゃない

でも、それで、そんなことして、どうなるんでしょう。マルコの福音書にもどってください。14章9節。

「まことに、あなたがたに言います。世界中どこでも、福音が宣べ伝えられるところでは、この人がしたことも、この人の記念として語られます。」

ムダになりません。ゼロになりません。世界中で、福音、つまりイエス様のことが話されるところでは、このマリアさんのことも話される、と言うんです。これ、今そのとおりになっているでしょ？　イエス様のことが話されているこの日本で、このマリアさんのことが話されているんですから。

イエス様のためにすることって、他の人からムダに思われることがいっぱいあります。日曜日――教会に行く、ムダじゃない？　言われますね。ムダじゃないんです。

献金――ムダじゃない？　ムダじゃないんです。天国に銀行があって、ちゃーんとそこに積み立てられています。みんな、天国銀行の通帳、どれくらいですか？

祈り――ムダじゃない？　ムダじゃないんです。天国で、僕らのお祈り、ちゃんと覚えられています。残っています。うわ、これ、俺があの春キャンプの時、祈った祈りじゃん、なんてことないかもね、でもあるかもよ。

でも何よりすばらしいのは、マリアさんがイエス様とずっとセットで覚えてもらえるということだと思います。話してきたように、罪というのは、神様から離れている、ということであり、天の御国というのは、イエス様との親しい親しい交わりです。イエスさまと一緒にして覚えてもらえる、というのは、それこそ、イエス様というタカラを持つ人の、一番うれしいことなんです。「もう天国に行けるから、何もしなくていいんでしょ？」と言う人は、このことを忘れていますね。イエス様を何か、こう、天国に行くためのクーポンチケット程度に考えていますね。イエス様を本当に信じた人は、イエスさまとの交わりを求める、これは当然です。

みんな、ごめんなさいには二種類あるの知ってる？　一つは、「ごめんなさい。これからは私を赦して仲良くしてください」というやつ。もう一つは、「ごめんなさい。さて、もう、私謝ったんだからいいでしょ？　さいなら」というやつです。時々、イエス様にこれをやっちゃう人がいるんですね。「ごめんなさい、イエス様、私信じます。心の中に入ってください。ありがとう。じゃ、さいなら」って。変でしょう？　でも、いるんですよー、わりと。

マリアはこの尊い尊いささげ物をイエスさまにささげ、世界中どこでもイエスさまとともにお話しされ、覚えてもらえる人になったのです。ムダじゃない。すごいことです。すごい祝福ですね。

大事なチョキン

さて、じゃあ、私たちは一人ひとり、どうしましょうか？　私たちはどうしましょうか？　さっき言ったように、イエス様のために最高のものを、私の、僕の、できる最高のものをささげましょう。そのために、どうしたらよいでしょうか。

イエス様のために、今だ！　ここだ！　ここでこうするんだ！……ということが分かりたいですね。そのためには、イエス様との親しい交わりをしてください。イエス様にとどまってください。毎日聖書を読む。お祈りをするんです。聖書の読み方や、お祈りの仕方は、教会の牧師先生が教えてくれます。先生に聞いてください。毎日ちょっとでもいいから、みことばを聞いて、そして神様にお祈りしていく。そういうふうにしていると、本当に神様がいろんなことを教えてくれるんです。そして、ここだ！　今、ささげなきゃ……ということも分かります。みことばと祈り、大事にしてくださいね。

そして、よし、神様にささげよう、と思っても何もなかったらダメでしょう。もちろん、皆さんはまだ働いていませんから、二百五十万円の香水は買えません。もし、買ったとして、たとえばだれか、僕の頭に注いだりしたら、それこそ「何てムダなことを！」と言われるでしょう。僕は、「ああ、これから僕は死ぬのかなあ」と思うと思いますね。

そういうことではなくても、みなさんは大事な蓄え、チョキンをすることができます。それは、勉強と運動です。しっかり勉強して、しっかり鍛えて、神様に私をよく使ってもらうようにするのは大事です。僕は、数年間、とても勉強も運動もしなくちゃいけない時にしなくて、本当に後悔しています。もっとしっかりちゃんとお話しできたのに……とも思います。でも、僕なりに一生懸命やりました。皆さんは、イエス様にささげるために、準備してください。蓄えてください。何をイエス様のためにささげるのか。時間を神様のために、あるいはお金を、おこづかいの中からイエス様のために、それもとても大切ですが、何より、あなた自身をイエスさまにささげて、――どうぞ主よ、私をささげます、私を使ってください――というのがすばらしいのです。

頭が良いとか、力が強いなんていうことは、それだけでは何の意味もありません。頭が良いすごく悪い人とか、力が強いすごく悪い人とかいるでしょう？　神様のためにささげるのでなくては、意味がないのです。

そして、これくらい神様のためにしてあげたら、こんなことになるかなあ、なんて計算してイエス様にささげるのではなく、喜んでささげましょう。また、イエス様が、もう一度この世界においでなさる、その時に備えて毎日歩みましょう。そして、何より、皆さんは教会を大切にしてください。僕は、教会、イエス様の教会が本当に大好きです。キャンプより好きです。ですから、教会にしっかり留まってほしいと思います。

今まで、いろんなことを言いましたが、クリスチャンとしてこの日本で生きていくということは、決して簡単なことではありません。難しいことがいっぱいあります。だからこそ、神の御力、教会がいるのです。

イエス様のために、私たちのできる最高のものを、ささげていきましょう。
お祈りします。

あとがき

この本をここまで読んでくださって、本当にありがとうございます。

もしあなたがこの本を読んで、イエス様を信じたいと思ったら、今すぐ信じますと祈ってください。ひとりで祈るのが難しいと思ったら、ぜひ教会の牧師先生や、教会学校の先生と一緒にお祈りしてください。

救い主イエス様は今も生きておられ、あなたを愛しておられ、あなたを救い、あなたと一緒に生きてくださいます。コロナウイルスも、どんなものも、イエス様の愛を変えてしまうことはできません。いろいろ難しい時代ですが、私は、すべての人と一緒に、このイエス様のすばらしさを味わううれしい毎日を歩いていきたいと願っています。

二〇二二年二月十五日

櫛田信

櫛田 信（くしだ・しん）

1974(昭和49) 年、香川県の牧師の家庭に生まれる。4人兄弟の末っ子。大学1年生の時に信仰を与えられる。神様から呼び出され、大学卒業後に神学校に入学。
2001年、町田市の松見ケ丘キリスト教会で伝道師として奉仕の後、2004～2022年、横浜市の中山キリスト教会牧師。家族は妻と子1人。

ココロでさがそう！　ぼくらのタカラ

2022年 5月 1日発行

著者　櫛田信

発行　いのちのことば社
〒164-0001 東京都中野区中野2-1-5
編集 Tel.03-5341-6924 Fax. 03-5341-6932
営業 Tel.03-5341-6920 Fax. 03-5341-6921

新刊情報はこちら

落丁・乱丁はお取り替えいたします。　Printed in Japan

ISBN978-4-264-04359-1